J'ai besoin d'un ami...

un poisson rouge,
n'importe quoi!

Le livre, toujours un ami :
www.soulieresediteur.com

J'ai besoin d'un ami...

un poisson rouge,
n'importe quoi !

un roman de
Carole Moore

illustré par
Camille Lavoie

SOULIÈRES
ÉDITEUR
www.soulieresediteur.com

case postale 36563 — 598, rue Victoria
Saint-Lambert (Québec) J4P 3S8

Soulières éditeur remercie le Conseil des Arts du Canada et la SODEC de l'aide accordée à son programme de publication et reconnaît l'aide financière du gouvernement du Canada par l'entremise du Fonds du livre du Canada (FLC) pour ses activités d'édition. Soulières éditeur bénéficie également du Programme de crédit d'impôt pour l'édition de livres – Gestion Sodec — du gouvernement du Québec.

Dépôt légal : 2016

Catalogage avant publication de Bibliothèque et Archives nationales du Québec et Bibliothèque et Archives Canada

Moore, Carole
  J'ai besoin d'un ami... un poisson rouge, n'importe quoi !
  Collection Chat de gouttière ; 58)
  Pour les jeunes.

  ISBN 978-2-89607-364-1

  I. Lavoie, Camille, 1967-   . II. Titre. III. Collection : Chat de gouttière ; 58.

  PS8576.O551J34 2016   jC843'.6C2016-940477-3
  PS9576.O551J34 2016

Illustration de la couverture
et illustrations intérieures :
Camille Lavoie

Conception graphique de la couverture :
Annie Pencrec'h

Pour mon père,
salut Ti-Claude!

1

Ma mère

Ma mère est morte.
On m'a dit qu'elle avait eu un accident de voiture, et qu'elle était morte. J'ai demandé si elle était à l'hôpital, mais on m'a répété qu'elle était morte. Ce jour a été le deuxième pire jour de ma vie.

Puis il y a eu beaucoup de gens à la maison. Et tout le monde pleurait. Papa aussi. Ma petite sœur, Amélie, pleurait plus que les autres. Mais Amélie était juste un bébé. Elle pleurait souvent de toute façon. Tout ça était très triste, alors j'ai pleuré aussi. Et je me demandais pourquoi maman n'était pas avec nous. Si elle n'était pas à l'hôpital, alors où était-elle? J'aurais bien eu besoin qu'elle me réconforte. Chaque fois que quelqu'un entrait dans la maison, j'espérais que ce serait elle. Mais non. Quand je me suis couché ce soir-là, je me suis dit que maman serait là le lendemain matin. Je me suis vite endormi.

Pourtant, le lendemain, maman n'était toujours pas revenue.

— Est-ce que maman est partie en voyage sans nous ? ai-je demandé à mon père.

— Viens ici, Raphaël, m'a dit mon père. Maman a eu un accident et son corps était trop blessé pour guérir, tu comprends ?

Non, je ne comprenais pas. Mais j'ai quand même hoché la tête pour dire oui. Mon père a continué.

— Maman est morte, Raphaël, tu comprends ce que ça veut dire ?

— Oui, ça veut dire qu'elle n'est pas à la maison, ai-je répondu.

— Ça veut dire qu'elle ne reviendra jamais, m'a expliqué mon père.

Là-dessus, il m'a serré contre lui et il s'est mis à pleurer. Je n'aime pas ça quand papa pleure. Et il me serrait fort, et ça m'a inquiété beaucoup. Si maman avait été là, elle aurait pu le réconforter. Maman est si douce. Son sourire est comme quand c'est Noël.

Mais elle ne reviendra pas. Ce jour a été le pire de toute ma vie, et j'étais très fâché contre maman de ne pas revenir pour nous consoler tous.

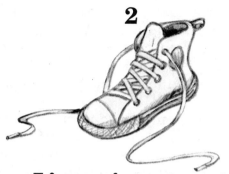

L'enseignement
de ma mère

Je veux un ami. N'importe qui. N'importe quoi.

Sauf Manuel Arcand. Manuel est gros. Enfin, pas si gros que ça, mais assez, quand même. C'est parce qu'il mange toujours des friandises. De plus, il sent mauvais. Mais le pire de tout, c'est que, pour les raisons que je viens de dire, les autres se moquent de lui. Bien sûr, personne ne veut être avec quelqu'un dont tout le monde se moque. Je le sais parce qu'on se moque aussi de moi. Donc, je suis toujours tout seul. Pourtant, je ne suis pas gros, je ne mange pas beaucoup de friandises (ça coûte trop cher) et je ne devrais pas sentir mauvais, même s'il me semble que ça fait quand même plusieurs jours que je vais au lit sans prendre mon bain.

Les autres se moquent de mes vêtements, particulièrement de mes chaussures.

Il y a longtemps, quand maman était encore avec nous, elle me disait souvent que je devais toujours rester moi-même, et que je pouvais faire tout ce que je voulais dans la vie pourvu que je ne blesse jamais les êtres vivants ni ne détruise la nature. Elle ajoutait que c'était important que j'aie un esprit libre. Pendant qu'elle me racontait ça, je pensais à mon camion de pompier que j'aimais beaucoup, et j'avais envie d'aller jouer avec lui. Comme je ne comprenais rien de ce dont maman me parlait, je lui ai simplement demandé : Est-ce que je peux aller jouer, maintenant ? Elle m'a souri et elle a dit oui.

Quelques jours plus tard, comme nous nous préparions pour aller au supermarché, j'hésitais entre mes chaussures avec des lumières et mes chaussures qui courent vite. J'ai décidé d'en mettre une de chaque paire. Je m'attendais bien à me faire dire de prendre une décision et de vraiment porter une paire de chaus-

sures. Mais maman m'a passé la main sur la tête et elle a dit : c'est ça, avoir un esprit libre.

J'étais super content! C'était génial d'avoir un esprit libre!

Jusqu'à ce que je commence l'école maternelle deux anniversaires plus tard, bien après la mort de maman.

Les autres trouvaient ça idiot d'avoir un esprit libre. Mais je savais que maman n'était pas une idiote. Alors, en souvenir d'elle, j'ai décidé de continuer à porter les chaussures de mon choix. Ce n'est pas toujours facile, mais ça ne fait rien. Peut-être qu'un jour les autres vont me laisser tranquille.

En attendant, je veux un chien. Un chien avec qui je pourrais jouer. À qui je pourrais raconter mes malheurs. Un chien que je serrerais contre moi, contre mon cœur. Un chien qui me lécherait le visage parce qu'il serait content de me voir. Qui dormirait avec moi la nuit, quand je suis seul et que j'ai mal. Peut-être qu'il pourrait me consoler quand je pleure. Je le promènerais chaque jour, fier de lui, fier de mon ami. Je l'appellerais Charlie. C'est chouette Charlie pour un chien.

C'est sûr que si je jouais au hockey et que j'étais le meilleur de mon équipe, je n'aurais pas besoin d'un chien : j'aurais des amis. Plein d'amis. Mais je ne joue pas au hockey. Papa dit que ça coûte trop cher. Comme les friandises. Et les chiens. Tout coûte trop cher avec mon père. Même les déjeuners.

Une chance, à l'école, le matin, je peux manger des muffins et des pommes. Madame Sophie, ma maîtresse de première année, me donne souvent quelque chose qu'elle laisse sur mon bureau le matin, comme une banane ou un jus. Si je pouvais, j'apporterais un peu de tout ça à la maison parce que j'ai tout le temps faim. Je partagerais avec Amélie. Elle a souvent faim elle aussi. Parfois on trouve ça drôle d'entendre nos ventres se plaindre qu'ils sont vides et on fait des compétitions pour savoir quel ventre crie le plus fort. Des fois je gagne, d'autres fois, c'est le ventre d'Amélie le meilleur.

3

Grand-maman
à la rescousse

Vendredi dernier a été le troisième pire jour de toute ma vie. Pire que les jours où papa boit de la bière et qu'il nous envoie dans notre chambre, Amélie et moi, même si on n'a rien fait de mal.

Premièrement, je me suis levé en retard, et même si j'ai couru pour me rendre à l'école, j'ai manqué les muffins et les pommes. Madame Sophie avait glissé un jus d'orange dans mon pupitre, mais je devais attendre la récréation pour le boire. J'avais super faim. Mon ventre grognait très fort et tout le monde dans la classe me regardait. C'était très embarrassant.

Nous étions à l'école, donc, et il fallait faire un travail. Le problème était qu'il fallait le faire en équipe. Comme d'habitude, je n'osais regarder personne et j'attendais, comme chaque fois, rempli d'espoir, que quelqu'un vienne me demander si je voulais faire le travail avec lui, ou avec elle si c'est une fille. Ça ne me dérangerait pas si c'est une fille. Surtout Aglaé.

De toute façon, personne n'est venu me chercher, et je ne suis allé chercher personne parce que je sais que toutes les réponses auraient été «non». Je me suis donc retrouvé avec l'autre rejet de la classe : Manuel. Je ne pouvais pas être plus perdant que ça.

Pourtant, je me trompais.

Madame Sophie m'a demandé d'aller m'asseoir avec lui. Ce que j'ai fait la tête basse pour éviter le regard moqueur des autres, quand Frédéric a aperçu quelque chose que je ne croyais pas si évident.

— Raphaël a un trou dans son pantalon et on peut voir son caleçon ! Et son caleçon est sale et il pue ! a-t-il crié.

Mort de honte, je me suis dépêché d'aller m'asseoir à côté de Manuel avant que d'autres ajoutent des commentaires, déjà que toute la classe riait aux éclats.

— Ça suffit ! s'est écriée madame Sophie. Je ne veux plus entendre un seul rire ! Mettez-vous au travail immédiatement !

J'avais beaucoup de difficulté à ne pas pleurer, mais si en plus j'avais commencé à pleurer, la situation aurait été mille fois pire, si c'était possible. Heureusement, Manuel comprenait très bien la situation et il m'a donné des bonbons.

Tout allait bien mieux quand maman n'était pas morte et quand papa ne buvait pas autant de bière. Mais pendant assez longtemps, depuis avant mon dernier anniversaire, il y a eu beaucoup de bouteilles de bière sur le comptoir de la cuisine quand on se levait le matin. Grand-maman en parlait parfois à papa, quand nous étions au lit, Amélie et moi. Papa disait tout le temps qu'il faisait son possible, et que nous ne manquions de rien.

Au début, quand maman est morte, Amélie et moi, nous avons mangé tous les biscuits et la crème glacée. Puis nous avons mangé le pain et le beurre d'arachide et nous avons bu le reste de lait. Mais nous n'avons pas mangé la confiture parce que je n'ai pas été capable d'ouvrir le pot. Ensuite, on a fini les céréales, sans lait, parce que nous l'avions bu avec le pain. On a ensuite mangé les céréales qui ne goûtent pas bon et on espérait que papa irait bientôt mieux avant qu'on commence à manger le brocoli.

C'est grand-maman qui a sauvé la situation quand elle est arrivée avec des sacs remplis de nourriture et plein de choses qu'elle avait préparées chez elle, comme de la sauce à spaghetti et du ragoût. Elle a dit à papa de se ressaisir (je ne sais pas ce que ça veut dire), que nous avions besoin de lui, et que perdre notre mère était bien assez difficile sans en plus être abandonnés par notre père. Elle lui a proposé de nous amener avec elle pendant quelques jours, mais je suis allé me coller contre papa en traînant Amélie avec moi. Pas question qu'on abandonne papa, surtout maintenant que nous avions de la sauce à spaghetti. Même si papa avait beaucoup changé, je l'aime très fort et je ne voulais pas être séparé de lui.

— Oh, les enfants, ne me rendez pas la tâche encore plus difficile ! nous a demandé grand-maman. Quelques jours, Justin, a-t-elle continué pour papa. Quelques semaines tout au plus. Tu as besoin de temps pour toi, de te reprendre en main.

Si tu voyais la tête que tu as! Une tête à faire peur! Que tu l'acceptes ou non, tu négliges tes enfants. Regarde le pantalon de Raphaël! Et les enfants sont maigres comme des clous, ces pauvres chéris!

— Je fais de mon mieux, mais c'est tellement difficile! s'est écrié papa.

— C'est difficile parce que tu ne fais aucun effort pour continuer à vivre!

— Je suis mort avec elle! a éclaté papa.

— Tu n'as pas le droit de dire ça! Nadine serait la première à critiquer ton nouveau style de vie. Et tu vas effrayer les enfants en plus!

En effet, j'étais très effrayé! Si papa est mort, il va partir lui aussi!

— Mais non, je ne suis pas mort, s'est empressé de me rassurer papa. Tout va bien, Raphaël. Je suis seulement très fatigué.

— Tu peux aller te coucher, si tu veux. Amélie et moi, on va aller dans ma chambre, lui ai-je proposé.

Grand-maman s'est assise à côté de papa et elle a penché sa tête sur son épaule à lui.

— Justin, pense à eux. Fais-le pour eux, sinon pour toi.

Grand-maman et papa sont restés longtemps comme ça. Je trouvais ça un peu ennuyant alors je suis allé jouer dans ma chambre. Amélie est venue avec moi. Elle me suit partout, Amélie.

Nous nous sommes endormis tous les deux entre mes petites voitures. C'est papa qui est venu nous mettre au lit un peu plus tard. Il m'a bordé et m'a embrassé sur le front.

— Bonne nuit, mon nounours.

— Bonne nuit, papa, ai-je dit tout ensommeillé.

— Ça va aller mieux, maintenant, je te le promets.

— Allons-nous avoir un chien? ai-je demandé, plein d'espoir.

— Non, Raphaël. Je ne suis même pas capable de prendre soin de moi ni de vous. Imagine un chien en plus!

— Mais je vais m'en occuper, moi!

— Pas maintenant. On va commencer par se trouver un emploi, d'accord?

— D'accord, ai-je fait, un peu nerveux de devoir me trouver un emploi.

Il m'a ébouriffé les cheveux et a quitté ma chambre.

J'ai pris mon ourson en peluche dans mes bras et je me suis endormi.

4

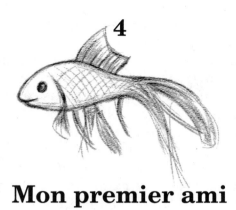

Mon premier ami

Depuis ce temps, les choses ont bien changé pour nous. Papa a accepté l'offre de grand-maman de prendre soin de nous pendant quelque temps. Il a trouvé un emploi dans une quincaillerie. Il a acheté du beurre d'arachide, des confitures, des bananes et des céréales. On peut donc déjeuner à la maison. Il a aussi acheté des biscuits au chocolat et de la crème glacée.

À mon grand soulagement, je n'ai pas eu besoin de me trouver un emploi.

On essaie de vivre comme avant, mais sans maman. Avec un gros trou dans notre cœur.

Notre vie ne sera plus jamais la même.

À l'école, c'est pire que jamais, malgré mes pantalons neufs.

Me faire des amis, ou au moins un, tarde à arriver, malgré ma bonne volonté. Je ne sais tout simplement pas comment faire. Je n'intéresse personne.

Du genre plutôt tranquille, je trouve qu'il y a trop de bruit dans la cour d'école, alors j'essaie de ne pas trop me retrouver au milieu de tout ce monde. Il est vrai aussi que je crains beaucoup les moqueries. Je les ai toujours détestées. C'est normal, personne n'aime les moqueries.

Ce midi, je suis dans un coin de la cour d'école et j'observe une araignée.

J'admire mon araignée, que j'ai nommée Carmen, quand Frédéric arrive.

— Qu'est-ce que tu fais ? me demande-t-il.

— J'observe une araignée, dis-je.

— Où ça, ton araignée ?

— Juste là, fais-je en la montrant du doigt.

Il s'accroupit pour mieux voir.

— Elle s'appelle Carmen, que je lui apprends.

— Tu lui as donné un nom ? fait-il en relevant la tête.

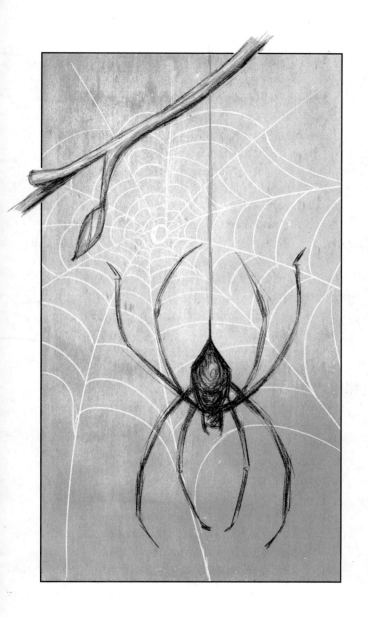

— Oui, dis-je avec un sourire, tout content de partager ça avec lui.

Je le regarde, et le soleil derrière lui m'aveugle et m'empêche de bien le voir. Il se lève et, avec son gros soulier sale, il écrase mon araignée.

— Hé! Mon araignée! que je m'écrie.

— Tiens, ton araignée, dit-il en relevant son soulier.

Elle est morte, bien sûr. Et l'autre, il rit.

Frédéric me pousse, je tombe et il s'en va en criant que l'idiot du village donne des noms aux araignées.

— Raphaël! crie-t-on de l'autre bout de la cour d'école.

Je ne réponds rien, mais je sais qui c'est: Manuel. Je me retourne pour le regarder. Dès qu'il se rend compte que je l'ai repéré, il trottine vers moi, tout content.

— Tu vas bien? Il ne t'a pas fait mal? fait-il.

— Il a écrasé mon araignée, dis-je, ne comprenant pas pourquoi il avait fait ça.

— J'ai vu ça. Tu veux venir voir mon chien après l'école? me demande Manuel.

Un chien!

— Je ne savais pas que tu avais un chien! que je m'écrie, tout excité.

— Il s'appelle Dexter et il dort toujours avec moi.

Quel chanceux!

— Je ne peux pas après l'école. Je dois rester au service de garde jusqu'à ce que papa vienne nous chercher Amélie et moi. Mais je pourrais y aller après le souper.

Depuis que papa s'est trouvé un emploi, il n'est pas à la maison quand l'école est finie et je dois l'attendre au service de garde. Les parents de Manuel ne travaillent pas, alors il n'a pas besoin d'aller au service de garde et il peut rentrer directement chez lui après l'école. Cependant, comme Manuel habite sur la rue voisine de la nôtre, je pourrais aller chez lui tout seul ce soir. Surtout que maintenant que c'est le printemps, la nuit arrive bien plus tard que quand c'est l'hiver.

— Je ne resterai pas longtemps, promis, dis-je à papa tandis que nous avalons les restes de notre pâté chinois d'hier.

— Je peux y aller aussi? s'invite Amélie.

— Non, puceron, dit papa. J'ai besoin de ton aide pour planter des fleurs. Tu veux bien m'aider?

— Des fleurs rouges? veut savoir Amélie.

Amélie, comme moi, se rappelle que papa a gardé la tradition des fleurs rouges. Maman aimait les fleurs rouges parce qu'elles attirent les colibris. Maman était fascinée par ces oiseaux qui peuvent battre des ailes sans aller nulle part. Maman aimait tous les oiseaux. Elle pouvait rester très longtemps à la fenêtre à les observer. Elle trouvait merveilleux de les voir déployer leurs ailes et s'envoler dans le ciel.

— Bien sûr, des fleurs rouges. Y a-t-il d'autres sortes ? demande papa. On va amener Raphaël chez Manuel et ensuite, hop, à la pépinière !

Je n'ai jamais mangé aussi vite de toute ma vie.

Avant même d'avoir eu le temps de sonner à la porte, voilà Manuel qui sort de la maison, accompagné d'un super beau chien roux qui court autour de Manuel.

— Viens, Dexter ! lui crie Manuel.

Il n'a pas besoin de lui crier de venir, Dexter est déjà rendu près de moi, la queue fouettant l'air de droite à gauche, la gueule grande ouverte, la langue pendante. Je me penche un peu pour lui flatter la tête, il en profite pour me lécher le visage. Manuel et moi, nous rions tous les deux. C'est décidé : j'aime ce chien.

Avec Manuel, on lui lance un disque en plastique chacun notre tour. Dexter est tout heureux de nous le rapporter, attendant impatiemment que l'un de nous le lui lance de nouveau. Je jouerais pendant des heures avec Dexter, mais Manuel m'invite à entrer chez lui. J'accepte, curieux – et aussi inquiet – de rencontrer sa famille.

Je ne sais pas trop comment me comporter quand il me présente sa mère. Elle est dans un fauteuil roulant et elle est si maigre qu'on dirait qu'elle va se casser.

— Tu nous amènes un ami ? lance-t-elle à Manuel. Tu t'appelles comment ? ajoute-t-elle ensuite pour moi.

— Raphaël, dis-je.

— Bonjour, Raphaël. Je suis contente de te rencontrer, fait-elle en me tendant la main comme font les adultes entre eux.

Je ne sais pas trop quoi faire, alors je lui donne la main, et je me sens très fier d'être traité comme un grand.

— Allez, viens ! me dit Manuel. On va jouer dans ma chambre. Dexter ! appelle-t-il encore.

Mais Dexter ne vient pas. Il va manger plutôt.

Il y a trois lits dans la chambre que Manuel partage avec ses deux grands

frères. Deux de ces lits sont l'un par-dessus l'autre! J'aimerais avoir un lit comme ça! Je dormirais en haut pour pouvoir utiliser l'échelle, comme les pompiers quand ils sauvent les gens dans les maisons. Même si sa chambre sent bizarre, qu'il y a quelques trous dans les murs et qu'il n'y a pas beaucoup de jouets, on s'amuse bien Manuel et moi. Je suis très déçu quand papa arrive peu après.

J'ai déjà hâte de revoir Manuel à l'école le lendemain.

J'espère qu'il va m'inviter encore chez

lui!

5

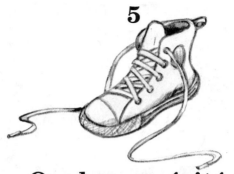

Quelques vérités

Je retourne chez Manuel. Souvent.
Il vient chez moi aussi. Il a été très
triste quand il a su que ma mère était
morte. Il m'a dit qu'il avait peur lui aussi
que sa mère meure parce qu'elle a une
maladie très grave. Elle a le cancer. Il
m'a expliqué que c'était les traitements
qu'elle suivait pour combattre le cancer
qui lui avait fait perdre ses cheveux et qui
l'avait rendue si maigre. Son père reste
à la maison pour prendre soin d'elle, et
c'est lui qui fait la cuisine et qui achète
les friandises.

— Je n'aime pas aller à l'école, me
confie Manuel alors que nous sommes
étendus dans l'herbe dans la cour arrière

de chez moi, fatigués d'avoir tant joué avec Dexter.

— Pourquoi?

— Personne ne m'aime.

— Personne ne m'aime non plus, et alors?

— Ce n'est pas vrai. Je suis ton ami. Depuis le jour où les autres se sont moqués de ton pantalon troué. Je comprenais tellement comment tu pouvais te sentir, moi qui fais rire de moi parce que je suis gros! J'ai compris qu'on était pareils.

— Non, on n'est pas pareils. Je ne sens pas mauvais.

— Je sens mauvais?

— Pas le lundi. Mais à partir du jeudi, tu commences à sentir le pas frais et on dirait que tu as mis de la cire dans tes cheveux.

Puisqu'on est dans les confidences, j'en profite pour lui poser une question délicate.

— Ça ne te dérange pas, pour mes souliers? je lui demande.

— J'ai toujours pensé que ta famille était trop pauvre pour t'acheter des souliers identiques.

— Non. Au début c'était mon idée, puis ma mère m'a encouragé à faire mes propres choix.

— Et tu as choisi d'être avec moi.

Je n'y ai jamais pensé, mais Manuel a raison. J'ai choisi d'être avec lui, même s'il est gros et qu'il ne sent pas bon. Il est mon ami. Je suis son ami. Nous sommes des amis.

— Oui, dis-je simplement.

— Pourquoi?

— Aucune idée.

— Il doit bien y avoir une raison. Pourquoi?

— Pourquoi tu poses toutes ces questions?

— Je ne sais pas. Alors, pourquoi?

— Parce que tu n'as jamais ri de mes chaussures.

— À cause de tes chaussures, je pensais que ta famille était pauvre. Ma famille est pauvre. Je te considérais comme quelqu'un comme moi, sauf que tu ne sens pas mauvais, évidemment.

— Évidemment. Pourquoi tu sens mauvais?

— Pourquoi tu poses toutes ces questions?

Nous avons éclaté de rire.

— Alors, pourquoi? j'insiste.

— Je ne savais pas que je sentais mauvais. Papa nous dit d'aller nous laver le dimanche soir, et c'est tout.

— Il faudrait te laver plus souvent.

— Oui. Probablement le mercredi soir aussi.

— Au moins.

Il y a autre chose que je veux lui demander depuis longtemps, mais je n'ai jamais osé. Je crois le moment bien choisi, alors je me lance.

— Est-ce que je pourrais emprunter Dexter quelques jours? fais-je soudainement.

— Quoi?

— J'aimerais ça qu'il soit mon chien pour trois jours.

— Mais je vais trop m'ennuyer de lui! Et il va s'ennuyer de nous! Ce n'est pas comme un jouet, tu sais!

— Mais je l'aime beaucoup et j'aimerais dormir avec lui, moi aussi! Il pourrait venir vendredi et rentrer lundi avant l'école.

— Mes frères ne voudront jamais de toute façon.

— Seulement vendredi soir, alors?

— Je ne crois pas que ce soit une bonne idée.

— Et si j'allais dormir chez toi? Juste une nuit?

Manuel n'a pas répondu tout de suite, mais ses yeux sont devenus très grands.

— On n'a jamais d'invité qui dort chez nous, finit-il par dire. Je pense qu'on n'a pas de place.

Je soupire, très découragé. Dexter ne sera jamais mon chien, même pour une nuit.

— À moins qu'on fasse du camping dans le salon… songe Manuel tout haut.

— Comment ça? dis-je, le cœur battant.

— Peut-être qu'on pourrait dormir dans le salon. Papa y dort parfois quand maman est très fatiguée et qu'elle doit dormir toute seule pour bien se reposer. À moins que ce ne soit papa qui soit très fatigué et qui doit dormir seul pour se reposer, je ne suis pas certain.

Je ne peux contenir ma joie et je crie un énorme Youpi! en sautant de bonheur.

6

Dexter

Je veux un chien!

Monsieur Arcand avait pris le matelas du lit de Manuel pour le mettre par terre dans la cuisine. Manuel et moi, nous avons rigolé pendant un moment, Dexter couché en boule entre nous deux, puis la voix douce de son père nous a gentiment ordonné d'arrêter de faire du bruit et de dormir.

Dans le noir, j'ai caressé la tête de Dexter. Il s'est tourné vers moi et a couché à nouveau sa tête sur ses pattes avant. J'ai continué à le caresser et j'ai pensé à maman. Je ne me rappelais pas beaucoup de choses d'elle, mais elle me manquait terriblement quand même. Ses baisers, ses caresses, ses bras dans lesquels j'allais chercher du réconfort. J'étais triste mais, en même temps, je me sentais bien. J'avais l'impression que Dexter comprenait mon chagrin, et qu'il acceptait de partager ma peine.

Je me suis endormi le cœur plus léger et le bras autour du cou de Dexter.

Comment faire pour avoir mon propre chien?

— Papa, est-ce qu'on pourrait avoir un chien? était la meilleure façon d'avoir la réponse à ma question.

Maintenant que papa travaillait, le manque d'argent n'était certainement pas une bonne excuse pour refuser.

— Non, Raphaël. Avoir un chien exige beaucoup de travail : le nourrir, le sortir pour qu'il fasse ses besoins, le promener pour qu'il fasse de l'exercice, jouer avec lui, le laver. Et ça coûte cher. Il faut l'amener régulièrement chez le vétérinaire, lui faire couper les griffes, lui acheter des jouets, de la bonne nourriture, des bols, un collier, une laisse et probablement bien d'autres choses encore.

— Mais plusieurs familles ont un chien! dis-je, au bord des larmes. Je vais m'en occuper, je te le promets!

Papa s'agenouille et il passe son bras autour de mes épaules.

— Je sais que tu aimerais avoir un chien, mon nounours, mais pas pour le moment. Je recommence seulement à aller mieux, et avant d'ajouter un autre membre à la famille, j'ai besoin d'encore un peu de temps. Je suis vraiment désolé et j'espère que tu peux comprendre. J'espère que tu sais que si je le pouvais, tu aurais ton chien.

J'ai tellement espéré! Je cours dans ma chambre et je me jette sur mon lit, inconsolable.

— Je suis désolé, mon nounours, dit-on derrière moi.

C'était tellement merveilleux de me blottir contre Dexter! J'aime jouer avec lui, j'aime quand il me lèche le visage, tout content de me voir. Et quand il ouvre la bouche, on dirait qu'il sourit. Il est le plus beau chien du monde!

Une chance, j'ai Manuel. C'est maintenant mon meilleur ami. Mon seul ami, en fait. Mais même si j'avais plusieurs amis, il serait mon meilleur ami parce qu'il est génial. Il lit beaucoup et il sait plein de choses, comme par exemple le nom des planètes et des nuages. Je ne savais même pas que les nuages avaient des noms! Il a pris la décision de manger moins de friandises. Chaque matin, il remplace ses friandises habituelles par une pomme que je lui apporte de la maison.

L'année scolaire est presque terminée. Heureusement, car on en a marre, Manuel et moi, que les autres se moquent de nous. Tous ceux qui se moquaient de Manuel se moquent maintenant aussi de moi, et tous ceux qui se moquaient de moi se moquent maintenant aussi de Manuel. Ils nous appellent le duo d'idiots. Pourtant, Manuel est bien plus savant qu'eux avec tous les livres qu'il dévore!

Et je me rends compte de quelque chose : je ne veux pas plusieurs amis puisque j'ai déjà le meilleur. Et même si papa avait plein d'argent, le hockey ne m'intéresse pas. Je voulais y jouer pour avoir des amis, mais j'ai tout ce dont j'ai besoin à présent. Sauf un chien.

Manuel est très gentil, car il me permet souvent tenir la laisse de Dexter quand nous le promenons. Il me laisse

Neptune

Uranus

Saturne

Jupiter

Mars

Terre

Venus

Pluto

Mercure

jouer seul avec Dexter tandis que lui-même s'assoit sur les marches du perron usées et à moitié brisées pour lire ses livres sur les planètes et les étoiles.

— J'aimerais être un astronaute, me confie-t-il quand je viens m'asseoir à ses côtés, essoufflé de mes jeux avec Dexter.

— Tu n'aurais pas peur si loin dans le ciel ?

— Pas du tout ! Tu imagines, je pourrais regarder notre planète de là-haut ! Je serais encore plus loin que les nuages ! s'écrie-t-il en regardant au-dessus de nous avec des rêves dans les yeux.

— J'aurais peur de tomber, que je lui avoue.

— Tu as peur de tout.

— Non, je n'ai pas peur d'aller très vite à vélo ! Et même si j'ai peur de Frédéric, ça ne m'a jamais empêché de porter ce qui me plaît. D'ailleurs, mon père dit que je suis courageux, parce qu'être courageux ne veut pas dire faire des choses dangereuses alors qu'on n'a pas peur de les faire, mais avoir peur de faire quelque chose et de le faire quand même. Par exemple, je serais courageux si j'allais dans l'espace, et tu serais courageux si tu allais super vite à vélo.

— C'est parce que mon vélo tombe en morceaux, et j'ai peur qu'il se casse si je vais trop vite! se défend Manuel.

— C'est vrai?

— Il a appartenu à Sébastien et à Nicolas avant moi, alors il n'est pas tout à fait neuf.

Sébastien et Nicolas sont les grands frères de Manuel.

— J'aimerais tant avoir un beau vélo comme le tien! Mais on n'a pas d'argent pour ça.

— Papa l'a eu moins cher au magasin parce qu'il était égratigné, sinon, j'aurais encore ma vieille bécane, comme l'appelait papa.

— C'est quand même bien mieux que ce que j'ai.

— J'ai un vélo plus beau que le tien, mais j'aimerais avoir un chien comme Dexter, et papa ne veut pas. Je peux te prêter mon vélo, si tu veux.

Manuel ne se fait pas prier, et le voilà qui enfourche mon vélo, tout joyeux. Il ne va pas plus vite qu'avec le sien, mais je ne le lui dirai pas. Je vais plutôt en profiter pour jouer encore avec Dexter.

Altocumulus

Cirrus

Stratus

7

Une surprise

Amélie fête demain son cinquième anniversaire. Elle va commencer l'école en septembre, et tout le monde lui en parle et lui raconte combien elle va s'amuser à l'école, qu'elle va apprendre des tas de choses importantes et intéressantes et se faire de nouveaux amis. Papa m'a dit que je pouvais inviter Manuel pour l'anniversaire d'Amélie, et qu'il n'avait pas besoin de lui offrir un cadeau.

Amélie reçoit beaucoup de jolis vêtements de la part de nos oncles et tantes. Grand-maman et grand-papa Normand (les parents de papa) lui offrent une grosse maison de poupée que grand-papa a construite lui-même. Grand-maman a fabriqué des rideaux aux petites fenêtres et des draps et des oreillers pour les lits. Grand-maman et grand-papa Létourneau (les parents de maman) l'ont inscrite au club de soccer pour la prochaine saison. Contrairement à moi, Amélie est très active. Je préfère généralement jouer tranquillement, sauf avec Dexter.

Manuel a tenu à offrir en cadeau à Amélie un de ses livres sur les nuages. Je ne pense pas que ça intéresse beaucoup Amélie, mais elle le remercie quand même en lui donnant deux bisous sur les joues. Manuel devient rouge comme une tomate, ce qui lui attire quelques rires qui le font rougir encore plus.

Papa a acheté un gros gâteau au chocolat, et on se régale bien.

Après le gâteau, papa annonce à tout le monde qu'il aura une surprise très spéciale pour nous deux, ses enfants, mais qu'il l'amènera seulement la semaine prochaine.

Je sauterais au plafond si je le pouvais ! Nous allons enfin avoir notre chien ! Je l'attends depuis si longtemps !

Je suis sage comme une image pendant toute la semaine, obéissant avec plaisir à toutes les demandes de papa.

J'espère que ce sera un mâle pour pouvoir le nommer Charlie. Est-ce qu'il sera roux, comme Dexter? Noir et blanc? Complètement noir, peut-être? Un petit chien? Un gros chien? Et si c'est une femelle? Je n'ai pas de nom pour une femelle.

Nous sommes tous à la maison ce vendredi soir quand une voiture vient se garer dans notre allée.

— Ah! Je crois que c'est notre surprise qui arrive! nous annonce papa.

— C'est vrai? que je m'exclame en me précipitant à la porte pour l'ouvrir toute grande.

Une dame sort d'une voiture et se dirige vers moi en souriant. Je réponds à son sourire tout en cherchant le chien.

— Bonsoir, me dit-elle. Tu dois être Raphaël. Et toi, Amélie, ajoute-t-elle pour ma sœur.

— Où est notre chien? dis-je.

— Le chien? Quel chien? fait-elle en regardant papa.

— Quel chien? m'interroge papa.

— À l'anniversaire d'Amélie, tu as dit que tu aurais un chien pour nous deux, je réponds.

Papa se gratte la tête.

— J'ai dit que j'aurais une surprise pour vous deux, me rappelle-t-il. Je n'ai jamais mentionné de chien!

Je ne comprends plus rien et je suis complètement perdu. Je reste à côté de la porte encore ouverte, ne pouvant croire qu'il n'y aura pas un chien qui va accourir vers moi d'un instant à l'autre.

— Est-ce que c'est un chat? fais-je, un peu déçu, mais tout de même content d'avoir une boule de poils à serrer contre moi.

Charlie, ça peut faire aussi pour un chat, peut-être.

— Non, ce n'est pas un chat, mon nounours. La surprise, c'est Danielle.

— Danielle? que je répète en regardant la dame qui me sourit encore.

C'en est trop. Comment Danielle peut-elle être une surprise? Je n'ai pas besoin d'elle dans ma vie, mais d'un ami qui peut partager toutes mes joies et mes peines, à n'importe quel moment! Je ne veux pas de Danielle! Je me mets à pleurer et je cours dans ma chambre pour laisser exploser mon énorme déception et ma colère. De mon lit, j'entends papa qui présente ses excuses à Danielle à cause de mon comportement. Danielle le rassure en lui disant qu'elle ne s'attendait pas à un accueil très chaleureux, que ma réaction est normale. Pourtant, je les entends qui parlent ensuite à Amélie, ce qui veut dire qu'Amélie n'a pas piqué de crise comme moi. Mais Amélie ne veut pas de chien. Elle ne s'attendait à rien de spécial avec cette surprise.

Je ne veux plus jamais sortir de ma chambre.

8

L'intruse

— **J**e peux entrer? demande papa quelques minutes plus tard.

Je ne me donne pas la peine de répondre, alors il entre.

— Je sais que tu es déçu. Je t'ai déjà expliqué que nous ne pouvions pas avoir de chien.

— Parce que tu as décidé que je ne serais pas capable de m'en occuper.

— S'occuper d'un chien est plus compliqué que tu ne penses, tu sais. En plus de ce que ça coûte.

Je reste muet encore une fois. Il s'assoit à côté de moi.

— Danielle est très gentille. Elle est une cliente régulière au magasin, et c'est comme ça qu'on s'est rencontrés. Si tu veux bien lui donner sa chance, je suis certain que tu ne seras pas déçu.

— Je n'ai pas envie de lui donner sa chance. Je ne veux pas la voir. Tu ne peux pas me forcer.

J'entends papa qui soupire.

— Tu as raison, je ne peux ni ne veux te forcer. Mais depuis que maman est partie, c'est la première fois que je me sens bien, tu comprends?

— Tu n'es pas bien avec nous?

— Ce n'est pas ce que je voulais dire. Je veux dire être amoureux, Raphaël.

Je n'ai rien à dire à ce sujet. Je ne connais rien à l'amour.

Oh, je crois que je comprends maintenant.

— Tu n'aimes plus maman? C'est ça? Tu aimes Danielle à la place?

— Non, ce n'est pas ça. Je vais toujours aimer maman. Elle aura toujours une place juste pour elle dans mon cœur, comme elle en a une toute spéciale dans le tien. Mais tous les deux, toi et moi je veux dire, nous avons encore de la place pour aimer d'autres personnes. Dans mon cas, Danielle est l'une de ces personnes. Et si tu veux essayer, je ne doute pas que tu

trouveras bientôt qu'elle mérite une petite place dans ton cœur aussi. Je pense
que maman serait heureuse que nous
soyons heureux encore, tu ne crois pas ?
Elle nous aimait et n'a jamais voulu autre
chose que notre bonheur, tu te souviens ?

Je ne veux pas me souvenir. Je veux
qu'on me laisse tranquille.

— Je retourne au salon. J'espère que
tu vas bientôt te joindre à nous.

Papa sort et laisse la porte de ma
chambre ouverte.

Une fille au lieu d'un chien. Et je devrais être content.

Je prends mon ours en peluche, je le
serre contre moi et je me recroqueville sur
mes couvertures. Maman ne m'a jamais
autant manqué. Est-ce que ça va faire
moins mal un jour ?

Danielle…

Est-ce qu'elle veut habiter avec nous,
comme Marc, le copain de la mère de
Roxanne qui habite maintenant avec
elles ? Roxanne déteste Marc. Il se met
souvent en colère contre Roxanne et sa
grande sœur Élise et les envoie dans leur
chambre pour n'importe quoi. Marc et la
mère de Roxanne sortent souvent sans
Roxanne et Élise, alors elles se font gar-

der par Chantal, une voisine qui ne pense qu'à passer son temps au téléphone. Va-t-on avoir cette gardienne nous aussi, ou c'est grand-maman qui va nous garder?

Je serre mon ourson plus fort.

Est-ce que papa va l'aimer plus qu'il nous aime, Amélie et moi? Va-t-il la laisser nous punir pour rien? Est-ce que ses enfants vont aussi habiter avec nous? Est-ce qu'ils vont dormir dans ma chambre et me prendre mon ours en peluche?

Je me cache avec lui sous mes couvertures.

Je vais déménager chez Manuel.

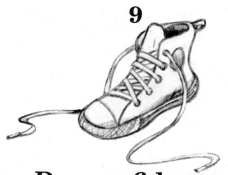

9

Des confidences

Je sens dans la nuit que quelqu'un s'assoit sur mon lit. Je me retourne sur le dos. C'est papa. On ne se dit rien, mais, malgré la pénombre, je sais qu'il peut constater que mes yeux sont ouverts, donc que je suis réveillé.

— Salut, mon nounours, fait-il en me caressant la joue.

— Salut, papa.

Je voudrais lui demander si Danielle habite maintenant avec nous, mais j'ai trop peur de la réponse.

— Tu as passé une mauvaise soirée, je m'en excuse. J'aurais dû vous prévenir de la visite de Danielle, me confie-t-il.

Je ne sais pas quoi répondre, alors je ne dis rien. Je ne comprends pas grand-chose à ce que les grandes personnes racontent. Elles n'expliquent jamais beaucoup, les grandes personnes.

Papa soupire.

— Danielle, pour moi, c'est un peu comme ton ourson en peluche. Elle est douce et elle me réconforte quand je ne vais pas bien.

— Je peux te prêter mon ourson, si tu veux.

— Merci, c'est gentil.

— Elle ne reviendra plus chez nous alors?

— Raphaël, un humain est bien mieux qu'un ours en peluche. Danielle est gentille et drôle. Elle me fait rire.

— Nous aussi on est gentils et on te fait rire! que je m'écrie.

— C'est vrai. Et je sais que je suis gentil et que je vous fais rire. Ça ne t'empêche pas d'avoir hâte d'être avec Manuel.

Il a raison, je ne peux le nier.

— Elle est ton amie?

— C'est ça. Elle est mon amie et je voulais vous la présenter.

— Elle ne va pas déménager chez nous?

— C'est ça qui t'inquiète?

— Un peu.

— Peut-être qu'un jour, si tout le monde est d'accord, elle va habiter avec nous, mais pas tout de suite. C'est une grosse décision et il faut d'abord s'assurer que tout va bien se passer.

— Et si je ne veux jamais qu'elle vienne chez nous pour toujours?

— On verra à ce moment-là. Cependant, je suis certain que lorsque tu la connaîtras, tu vas constater à quel point elle est gentille. Il faut aussi penser à Amélie. Elle aura besoin d'une fille pour la conseiller au sujet des garçons et de toutes sortes d'autres choses.

— Est-ce qu'elle est très fâchée contre moi?

— Pourquoi serait-elle fâchée contre toi?

— Je n'ai pas été gentil.

— Tu n'as rien fait de mal, mon petit. Tu avais de la peine, c'est tout. C'est contre moi que Danielle s'est fâchée.

— Contre toi? Pourquoi?

— Pour ne pas vous avoir prévenus. Et pour ne pas avoir pensé que tu aurais un autre genre de surprise en tête. Un chien, par exemple. Je m'excuse, Raphaël.

C'est vrai que ça ne m'a pas traversé l'esprit. Je n'ai pensé qu'à moi.

Je me suis assis et j'ai passé mes bras autour du cou de papa, qui m'a serré contre lui.

— C'est difficile, je sais. On va trouver une solution, ne t'inquiète pas, me réconforte-t-il.

Je me sens bien contre papa. Je me sens en sécurité, protégé. Il a raison, je ne devrais pas trop m'inquiéter.

— Comment va la mère de Manuel? me demande-t-il, peut-être pour changer de sujet. Est-ce qu'elle a encore de la difficulté à marcher?

— Elle va beaucoup mieux. Elle n'utilise même plus sa canne. Et c'est drôle parce que ses cheveux s'obstinent à pousser par en haut. Monsieur Arcand la taquine beaucoup à ce sujet. Il ne l'avait jamais vue les cheveux courts et il ne pensait pas que des cheveux pouvaient être aussi raides. Il l'appelle son porc-épic.

— Je suis content d'apprendre ça, fait papa en me caressant le dos.

— Papa?

— Oui?

— Est-ce que je peux avoir un poisson rouge?

10

La vérité

—Papa nous amène au restaurant samedi soir, que je raconte à Manuel.

C'est le dernier jour de vacances avant la rentrée scolaire.

Dans la chambre de Manuel, nous faisons un vieux casse-tête auquel il a l'air de manquer quelques morceaux.

— Chanceux, répond-il. On ne va jamais au restaurant.

— On n'y va pas souvent non plus. Seulement dans les grandes occasions.

— Chez nous, on va probablement encore manger du hachis à la saucisse.

— C'est quoi, ça?

— C'est un gros tas de patates en petits carrés qu'on fait bouillir avec des saucisses à hotdog que papa tranche en rondelles avant.

— C'est bon?

— Bah, pas trop mal si on ajoute beaucoup de ketchup. La prochaine fois que papa en fera, je lui demanderai d'ajouter une saucisse pour toi.

— Merci. On va revoir Danielle.

— L'as-tu revue depuis la première fois?

Je lui ai déjà raconté notre première rencontre.

— Non. Vois-tu un morceau avec une branche d'arbre, par hasard? dis-je au sujet du casse-tête.

— Non, mais si j'en trouve un, je te le dirai. Tu as hâte de la revoir? m'interroge Manuel en revenant à Danielle.

— J'ai peur.

— De quoi?

— Que notre vie devienne comme celle de Roxanne.

— L'enfer.

— Je sais.

Par la fenêtre, je regarde maintenant le ciel.

— Tu crois qu'elle est là-haut?

— Quoi?

— Maman, tu crois qu'elle est là-haut?

— Au ciel, tu veux dire?

— Oui.

— Je ne sais pas. Dans mes livres, on parle de planètes, de comètes, d'étoiles et de nuages, mais pas de mamans ou de papas. Ni même de chiens.

— C'est terrible! que je m'écrie.

— Je sais, approuve Manuel. Qu'est-ce qui est terrible?

— Que personne ne parle des mamans, des papas et des chiens!

— Tu sais, dit Manuel après quelques secondes de silence, je pense que la meilleure place pour eux, c'est dans notre cœur.

Je réfléchis longuement à ce que Manuel vient de me dire, et j'en conclus que mon ami est drôlement sage.

— C'est vrai, tu as raison. Tu es un génie, Manuel!

Manuel se bombe le torse de fierté.

— Je viens de penser à quelque chose, fait-il en fronçant les sourcils.

— Quoi donc?

— Peut-être que Danielle a peur que tu ne l'aimes pas, étant donné la façon dont tu as agi la première fois.

Je n'ai pas pensé à ça.

— De toute façon, elle aurait raison : je ne l'aime pas. Et je ne veux pas qu'elle m'aime.

— Tu dis n'importe quoi.

Je ne réponds rien.

— Papa a accepté qu'on ait un poisson rouge, dis-je tout à coup.

— Un poisson rouge ? Pour quoi faire ?

— Je ne sais pas. J'ai pensé que c'était mieux que rien.

— Ce n'est pas une bonne idée, si tu veux mon avis. Ton poisson ne va pas te rapporter le bâton, tu ne pourras pas le promener en laisse ni lui apprendre à donner la nageoire !

— Je sais, mais je veux un ami dans ma maison, comme Dexter et toi !

— Et un chat ? suggère Manuel.

— Papa est allergique.

— Ce n'est pas de chance.

— C'est moche.

— C'est triste.

— C'est affreux.

— La pire chose au monde.

— C'est vrai, dis-je pour conclure.

Silence.

— Nicolas s'est battu hier, me confie Manuel.

— Encore ?

— Il est toujours enragé, mon frère.

— Pourquoi?

— Je ne sais pas. C'est sa nature, peut-être.

— Penses-tu qu'il est en colère parce que vous n'avez pas Internet?

— C'est possible. Ou parce qu'il ne peut pas jouer au football. Il aimerait avoir le droit de bousculer tout le monde et d'être payé pour ça en plus.

Nous nous concentrons de nouveau sur notre casse-tête.

— À quel restaurant vous allez? me demande Manuel.

— Aucune idée.

— Je suis certain que ton père ne choisirait pas une fille méchante. Il n'est pas fou.

— C'est vrai.

— Alors? Pourquoi tu ne veux pas lui donner sa chance, à Danielle?

— J'ai peur qu'elle veuille prendre la place de maman.

11

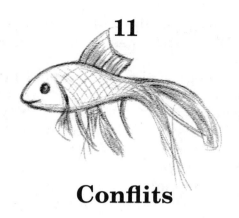

Conflits

— J'aime beaucoup tes chaussures, Raphaël. C'est très original, commente Danielle en piquant une frite avec sa fourchette.

Elle doit vouloir se moquer de moi. Je continue à bouder, le nez dans mon assiette.

— Tu pourrais au moins dire « merci » me sermonne papa.

— Je n'ai pas envie de dire merci.

— Ça va, ça ne fait rien, sourit Danielle.

Je ne veux pas être au restaurant avec elle. Je veux être à la maison, sans elle.

— Amélie, je sais que tu joues au soccer, et il paraît que tu es douée ! lance encore Danielle.

Tais-toi, Amélie! aurais-je envie de crier. N'encourage pas Danielle à parler avec nous!

— Oh oui! J'ai marqué un but la semaine dernière!

Traîtresse!

— Fantastique! J'aurais aimé jouer au soccer moi aussi, mais il n'y en avait pas ici quand j'étais petite, et je suis trop vieille maintenant.

— Tu devrais créer ta propre ligue pour les croulants, la taquine papa.

— Très drôle, lui dit Danielle en lui tirant la langue. Pratiques-tu un sport? ajoute-t-elle en s'adressant à moi.

— Je déteste les sports, dis-je en grognant.

— Qu'est-ce que tu fais de tes temps libres? poursuit-elle, ignorant ma mauvaise humeur.

— Rien.

— Mais non, tu ne fais pas rien! Tu joues avec Manuel! Et tu dessines!

Amélie est trop bavarde!

— C'est vrai? Tu aimes le dessin? me demande Danielle.

— Bof, je réponds.

— Et toi, Amélie, tu aimes le dessin

aussi? fait Danielle qui décide finalement de me laisser tranquille.

— Oh oui! répond Amélie.

Et voilà Amélie qui retourne son napperon de papier pour y dessiner quelque chose avec les crayons que nous avons reçus dès qu'on s'est tous assis un peu plus tôt. Papa et Danielle décident de faire la même chose. Comme plus personne ne parle, je prends moi aussi un crayon pour dessiner. Cependant, je refuse de montrer mon dessin que je plie et que je mets dans la poche de mon pantalon.

— Allez, me dis papa. Ne te fais pas prier, montre-nous ce que tu as fait.

— Non, je n'en ai pas envie.

— Tu sais combien j'aime tes dessins, pourtant! insiste-t-il.

— Je te le montrerai à la maison.

— Comme tu veux, mais tu y perds beaucoup en restant enfermé dans ta bulle.

Entêté, je reste muet.

— Avoir un esprit libre ne veut pas dire être impoli ou fermer les yeux sur le monde qui t'entoure, ajoute papa à mon intention. C'est plutôt le contraire. Si tu veux être un esprit libre, il faut que tu regardes toutes les possibilités qui s'offrent à toi afin de faire les meilleurs choix possibles. Je ne suis pas certain que c'est ce que tu es en train de faire en ce moment.

Papa sait que les mots de maman sont restés gravés dans ma mémoire pour toujours. Surtout, il sait que je ne les ai pas très bien compris.

12

Danielle

—Je ne sais pas quoi faire, dis-je à Manuel alors que nous promenons Dexter.

— À propos de quoi?

— La copine de papa.

— Pourquoi tu veux faire quelque chose?

— Aucune idée. Elle vient manger chez nous tout à l'heure.

— Et?

— Et je ne sais pas quoi faire!

— Qu'est-ce que ton père a fait la première fois que je suis venu chez vous? Il m'a parlé, m'a posé des questions pour mieux me connaître. Je l'ai trouvé très gentil. Danielle ne fait pas ça avec toi?

— Elle a essayé l'autre jour au restaurant, mais je n'ai pas répondu.

— Mais pourquoi?

— Je te l'ai déjà dit : j'ai peur.

— Alors tu dois être courageux.

Je me souviens avoir dit à Manuel la vraie définition du mot courage. Je ne voulais pas être un lâche. Manuel a raison. Je dois faire preuve de courage et affronter cette Danielle.

— Veux-tu manger chez nous? que je propose à Manuel.

C'est plus facile d'avoir du courage quand on n'est pas seul.

— Penses-tu que ton père va accepter?

— Allons le lui demander tout de suite.

Voilà donc Manuel qui mange avec nous et Danielle. Il est un garçon passionné, et quand on lui parle de planètes et d'étoiles, il en a beaucoup à raconter.

— La planète Terre est la quatrième planète à partir du soleil. Et juste avant nous, il y a la planète Mars, explique-t-il en mangeant son morceau tarte aux pommes.

— Eh bien, tu en connais des choses sur l'univers, toi! fait Danielle. Alors c'est à ça que vous passez votre temps tous les deux, à rêver d'explorer l'infini?

— Je ne rêve pas à ça du tout, fais-je pour la contrarier un peu.

— Je m'en doute un peu, me dit-elle. Quand on porte des chaussures dépareillées, c'est parce qu'on a un cœur d'artiste. Tu es un artiste?

Moi? Un artiste?

— Un artiste de quoi? je lui demande.

— Tu ne le sais pas encore? fait-elle.

Je regarde papa au cas où il aurait la réponse.

— Je trouve que tu fais de beaux dessins, commente Amélie.

— C'est vrai? J'espère vraiment que tu vas me montrer tes dessins, Raphaël. Je suis super nulle en dessin, et j'aurais bien besoin de leçons.

— Montre-lui le dessin que tu as fait avant-hier, m'ordonne Manuel.

Je comprends que c'est une occasion d'établir un contact avec Danielle. Mort de peur, je vais chercher mon dessin: c'est simplement un garçon qui joue avec son chien.

Je le tends à Danielle qui le regarde longuement.

— Raphaël, tu es vraiment doué, le sais-tu? finit-elle par prononcer.

Une étincelle jaillit dans mon cœur.

— J'ai des neveux et des nièces de ton âge, et leurs dessins sont loin d'être aussi réussis, continue-t-elle. As-tu vu tous les détails, Justin? Il a même pensé à l'ombre. Et elle est du bon côté par rapport au soleil, en plus! Raphaël, je crois que je sais maintenant quel genre d'artiste tu es.

Je ne savais pas qu'on pouvait être un artiste en faisant des dessins.

— Quel genre? dis-je, impatient de connaître la réponse.

— Le genre qui pourrait faire les dessins dans les livres, ou dans les films d'animation, ou dans les jeux vidéo, ou tout simplement peintre.

— Peintre? fait papa.

— Incroyable! ajoute encore Danielle qui est toujours en train d'examiner mon dessin. Je peux le garder?

Complètement pris au dépourvu, je lui réponds oui.

— Est-ce que tes enfants savent bien dessiner aussi? je lui demande.

Elle sourit, un peu tristement.

— Je n'ai pas d'enfants, Raphaël. Je n'ai pas eu cette chance.

— Tu vas en avoir avec papa?

Danielle regarde la table sans répondre. Papa place sa main sur celle de Danielle.

— On ne sait pas, mon nounours. Il est beaucoup trop tôt pour le dire, répond-il pour elle.

— Je crois que tu devrais cesser de m'appeler ton nounours, papa. Je suis grand maintenant.

Papa regarde Danielle et hausse les épaules.

— D'accord, accepte-t-il simplement.

— Qui sont le garçon et le chien sur ton dessin ? demande Danielle.

— C'est moi et Dexter.

— Qui est Dexter ?

— C'est mon chien, répond Manuel.

— Mais c'est presque aussi mon chien. Je joue toujours avec lui, et Manuel me laisse le promener. J'ai dormi chez Manuel une fois, et Dexter m'a laissé le prendre dans mes bras, et il était chaud et doux et il m'a léché le visage. Ça m'a fait rire et j'étais content. Avec Dexter, je pensais à maman et j'allais mieux. Dexter est mon ami aussi.

Danielle, étonnée, regarde papa.

— Raphaël aimerait bien avoir un chien, explique papa.

— Et pourquoi vous n'en avez pas? lui demande Danielle que je commence à apprécier depuis quelques minutes.

13

Une nouvelle vie

J'ai bien grandi depuis que Danielle est entrée dans notre vie. Grâce à ses encouragements, dessiner est devenu mon passe-temps préféré. À chaque anniversaire, je demande des accessoires pour le dessin. Quand l'école a besoin d'un dessin pour la page couverture d'un livre de cuisine, de poèmes ou de dessins, c'est presque toujours mon dessin qui est choisi. Les autres élèves ont maintenant beaucoup de respect pour le meilleur dessinateur de la classe, même s'il porte des chaussures dépareillées. D'ailleurs, il y a bien longtemps que plus personne ne remarque mes chaussures. Par contre, je n'oublierai jamais pour qui je les porte.

Manuel et moi, nous sommes toujours les meilleurs amis du monde. Sa mère est complètement rétablie. Elle a choisi de rester à la maison, tandis que son mari a recommencé à travailler. Ils n'ont pas Internet, mais le seul que ça semble déranger est Nicolas. Leurs repas sont redevenus plus équilibrés, il y a moins de friandises et Manuel a perdu beaucoup de poids. Ses vêtements ne sont plus aussi amples qu'avant, et les filles ont enfin remarqué que, non seulement il existait, mais surtout qu'il était drôle, généreux et très savant.

Amélie fait partie de l'équipe de soccer de notre quartier. Elle adore ça et elle a beaucoup d'ambition. Elle s'entraîne chaque jour. Nous avons toujours été là l'un pour l'autre, et ça ne changera jamais.

Danielle est traductrice. Comme elle peut travailler de la maison, elle, Amélie et moi avons pu convaincre papa d'avoir deux nouveaux membres dans notre famille : un petit frère qui a maintenant deux ans qui s'appelle Joshua et Charlie, notre chien que nous avons adopté de la SPCA il y a trois ans. Il a maintenant trois ans et demi.

Chaque soir, Manuel promène Dexter, et moi, Charlie. Nous les amenons au nouveau parc à chiens où ils jouent avec d'autres chiens. Chaque jour, je me dis que je suis drôlement chanceux d'avoir une famille comme la mienne, d'avoir un ami sur qui je peux compter en tout temps, et d'avoir le plus fidèle des compagnons avec qui partager mes joies, mes déceptions, mes frustrations et mes chagrins. Je suis heureux d'avoir des passions comme le dessin.

Chaque soir, avant de m'endormir, j'embrasse Charlie sur la tête et je passe mon bras autour de lui. Puis, le sourire aux lèvres, je dis bonne nuit à maman et je la remercie de m'avoir permis de porter des chaussures différentes. Je comprends maintenant qu'elle me permettait surtout d'être moi.

Carole Moore

La vie n'est pas toujours une partie de plaisir, tout le monde le sait. Dans le monde des enfants, parmi ceux pour qui la vie n'est pas facile, il y a bien sûr ceux qui sont orphelins, ceux qui sont pauvres et ceux qui se font harceler par d'autres enfants. J'ai choisi de traiter de toutes ces formes de détresse et de les faire vivre par le personnage principal, Raphaël, un enfant d'environ sept ans.

Mon objectif avec ce roman est de montrer aux enfants que peu importe les embûches, il y a toujours de l'espoir. Il suffit souvent d'avoir un ami à qui se confier. Un ami qui peut nous aider à y voir plus clair. Un ami qui nous apporte chaleur et réconfort. Un ami humain a l'avantage de partager une vraie conversation. Toutefois, un ami animal, particulièrement le chien, offre le grand avantage de nous aimer inconditionnellement et de nous offrir beaucoup de soutien affectif lorsque nous en avons besoin.

Je voulais que ce roman chante le bonheur de l'amitié, quelle qu'elle soit.

Camille Lavoie

 Artiste multidisciplinaire, Camille Lavoie explore les frontières entre la réalité et la fiction. Fortement inspirée par la nature, son approche qui s'apparente parfois au documentaire parfois au monde des contes témoigne d'une volonté d'observation du monde vivant.

De ses racines qui plongent à Petite-Rivière-Saint-François (au Québec), pays paternel entre fleuve et montagne, jusqu'à l'Auvergne (en France) de sa mère, Camille tire un amour infini pour les choses de la terre. Elle vit et travaille à Montréal dans le quartier Rosemont-Petite-Patrie qui abrite son Studio Blanc, lieu de tous les rêves possibles.

GARANT DES FORÊTS
INTACTES

Ce livre a été imprimé sur du papier Enviro
100 % recyclé, traité sans chlore, accrédité Éco-Logo
et fait à partir d'énergie biogaz.

Achevé d'imprimer
à Montmagny (Québec)
sur les presses de Marquis Imprimeur
en juillet 2016

MARQUIS